Jules et Julie et le caneton

images et texte de
Bernadette Sannikoff

DUPUIS

C'est le printemps, Jules et Julie
vont observer les canetons dans le jardin.

— Regarde, Julie,
maman Cane sort de la mare.
— Oui, et ses cinq canetons
la suivent, remarque Julie.

— Viens, allons les voir de plus près, propose Jules.

– Oh ! Qu'il est mignon celui-là,
emmenons-le à la maison, Jules !

Le pauvre caneton pleure à chaudes larmes.
— Rassure-toi, dit Julie, nous allons
te donner une jolie mare pour toi seul,
tu y seras très bien !
Maman Cane ne semble pas contente du tout.

Toujours coquette,
Julie met un nœud au caneton.
Jules fait couler l'eau.
Voici une mare à sa taille.

Le grand moment est arrivé !
A l'eau, le caneton.

Notre ami a retrouvé sa gaieté.
Il nage dans le lavabo sous l'œil attentif
de Jules et Julie...

... Mais les jumeaux
se fatiguent vite
de ce nouveau jeu...

Ils quittent leur nouveau compagnon
pour aller jouer au ballon dans le jardin.

— Mon Dieu ! s'écrie Julie,
nous avons oublié de fermer le robinet !

— Oh ! là ! là ! Quelle inondation !
L'eau coule déjà hors de la maison
et ramène le caneton vers sa mare.

Maman Cane et ses frères
l'accueillent
avec de joyeux coin-coin.

Jules et Julie regrettent
de l'avoir séparé de ses compagnons.

Ils saluent leurs amis
et rentrent vite à la maison,
car le robinet coule toujours...

Le robinet fermé,
Jules et Julie se mettent à l'ouvrage.
Il s'agit de tout éponger
avant que maman ne rentre.

Lorsque tout est essuyé,
les jumeaux vont rejoindre
les canards dans le jardin.
Quelle joie de se retrouver
entre amis !
Désormais,
ils iront chaque jour les nourrir
et promettent de ne plus jamais
les séparer de leur famille.

I.S.B.N. 2-8001-0939-4

© 1982 by B. Sannikoff and S.A. Editions J. Dupuis,
6001 Marcinelle (Belgique). TOUS DROITS RESERVES.
Imprimé au Portugal.